Les recettes d'Amandine

Mamie gâteaux

Photographies de Akiko Ida

MARABOUT

Sommaire

Grand classique: la génoise

4 ŒUFS

125 G DE SUCRE EN POUDRE

125 G DE FARINE

20 G DE BEURRE POUR LE MOULE

* UN MOULE À MANQUÉ (BORD
HAUT) D'ENVIRON 22 CM DE
DIAMÈTRE

Pour 4 à 6 personnes
Temps de préparation: 10 minutes
Temps de cuisson: 25 minutes
(Préchauffez le four à th 5)

La pâte

Versez le sucre et les œufs dans un grand bol.
Faites chauffer une grande casserole d'eau. Dès
que l'eau frémit, déposez-y le bol. Fouettez jusqu'à
ce que le mélange prenne du volume, puis ôtez le bol
du bain-marie et continuez de battre encore quelques
instants hors du feu. Ajoutez alors peu à peu la farine
tout en mélangeant et en soulevant la pâte avec
une spatule.

Faire cuire

Beurrez et farinez légèrement le moule puis garnissez-
le de pâte. Lissez le dessus avec la spatule. Mettez
au four environ 25 minutes La cuisson est terminée
quand le gâteau prend une jolie couleur blond doré.
Démoulez la génoise dès la sortie du four et laissez-la
refroidir sur une grille à pâtisserie.

Le biscuit de Savoie (version plus légère que la génoise)

125 G DE SUCRE EN POUDRE

65 G DE FÉCULE DE POMMES
DE TERRE

4 ŒUFS

20 G DE BEURRE POUR LE MOULE

1 PINCÉE DE SEL

* UN MOULE ROND À BORD HAUT
D'ENVIRON 22 CM DE DIAMÈTRE

Pour 4 à 6 personnes
Préparation: 15 minutes
Cuisson: 35 minutes

Préchauffez le four à 150 °C (th 5).

Séparez les jaunes d'œufs des blancs. Fouettez
vivement les jaunes et le sucre jusqu'à ce que
le mélange devienne légèrement mousseux. Employez
un batteur électrique. Versez peu à peu la fécule
dans la préparation. Mélangez bien.

Ajoutez la pincée de sel dans les blancs d'œufs
et montez-les en neige ferme, puis incorporez-les peu
à peu en vous aidant d'une spatule pour ne pas casser
les œufs. Votre pâte doit être parfaitement lisse.

Beurrez soigneusement le moule, farinez-le et versez
la pâte. Mettez au four et laissez cuire pendant environ
35 minutes.

Un biscuit au chocolat

1 BISCUIT DE SAVOIE (VOIR PAGE 6)

200 G DE CHOCOLAT NOIR

2 CUILLÈRES À SOUPE DE CRÈME FRAÎCHE ÉPAISSE

4 ŒUFS

Pour 4 à 6 personnes
Temps de préparation: 30 minutes
Temps de cuisson: 40 minutes

Le chocolat

Recouvrez le chocolat d'eau bouillante pour le faire ramollir pendant 20 minutes. Versez l'eau chaude du récipient pour ne conserver que le chocolat.

La mousse au chocolat

Ajoutez aussitôt la crème fraîche et mélangez.

Séparez les blancs d'œufs des jaunes. Incorporez au chocolat les jaunes un à un. Battez les blancs en neige à vitesse moyenne, ajoutez une pincée de sucre à mi-parcours en passant à la vitesse au-dessus. Incorporez les blancs fermes au chocolat.

Réfrigérez pendant quelques heures.

Le gâteau

Préparez un biscuit de Savoie dans un moule de 22 cm de diamètre. Démoulez-le dès la sortie du four. Laissez-le refroidir, puis coupez-le en deux dans l'épaisseur. Garnissez de mousse au chocolat.

Recouvrez du second disque et mettez au frais.

Le fraisier

1 GÉNOISE (VOIR PAGE 6)
500 G DE FRAISES
1 POT DE GELÉE DE FRAMBOISES
200 G DE SUCRE EN POUDRE
200 G DE BEURRE
3 BLANCS D'ŒUFS
KIRSCH

Pour 4 à 6 personnes
Se prépare en 30 minutes
Temps de cuisson: 40 minutes

La génoise

Préparez une génoise dans un moule à bord haut de 22 cm de diamètre. Dès qu'elle est cuite, démoulez-la et laissez-la refroidir.

La crème

Battez les blancs d'œufs avec le sucre dans un bol au bain-marie jusqu'à obtenir une mousse brillante. Travaillez le beurre en crème et aromatisez-le avec du kirsch. Incorporez délicatement les blancs battus à la crème au beurre.

Le montage

Selon la hauteur de la génoise, découpez-la en deux ou trois dans l'épaisseur. Étalez sur le premier disque de génoise une fine couche de gelée de framboises, puis une couche plus épaisse de crème au beurre. Disposez les fraises coupées en deux et recouvrez du deuxième disque de génoise; recouvrez de gelée de framboises, de crème et de fruits. Posez dessus le dernier disque de pâte.

Pour décorer

Vous pouvez napper le gâteau du reste de crème au beurre et de fraises.

Biscuit roulé à la framboise

Un biscuit qui fait toujours beaucoup d'effet. Si vous respectez bien les différentes étapes, c'est vraiment très facile. Pour le garnir, vous pouvez naturellement varier les confitures.

3 ŒUFS

30 G DE FARINE

50 G DE FÉCULE DE POMMES DE TERRE

120 G DE SUCRE EN POUDRE

1 POT DE GELÉE DE FRAMBOISES

1 PINCÉE DE SEL

SUCRE GLACE

20 G DE BEURRE POUR LE MOULE

* UN MOULE À GÉNOISE OU LE COUVERCLE EN MÉTAL D'UNE GRANDE BOÎTE

Pour 4 personnes
Temps de préparation: 15 minutes
Temps de cuisson: 15 minutes

Préchauffez le four à 150 °C (th 5).

La pâte à biscuit

Cassez les œufs. Réservez les blancs dans un grand bol et déposez les jaunes et le sucre dans une jatte. Fouettez ce mélange jusqu'à ce qu'il blanchisse légèrement et devienne mousseux. Versez alors la farine et la fécule de pommes de terre et mélangez bien. Ajoutez la pincée de sel dans les blancs et, à l'aide de votre fouet, montez-les en neige ferme. Incorporez-les délicatement au mélange en vous aidant d'une spatule.

La cuisson de la pâte à biscuit

Beurrez soigneusement le moule et versez la pâte à biscuit. Lissez éventuellement le dessus avec une spatule pour bien uniformiser l'épaisseur et mettez au four. Laissez cuire 15 minutes environ.

Dès la sortie du four

Retournez la pâte sur un linge humidifié et enroulez-la rapidement dans ce linge. Déroulez ensuite la pâte et badigeonnez-la d'une couche de gelée de framboises. Roulez votre gâteau une seconde fois dans le linge en serrant bien. Laissez refroidir ce gâteau roulé dans un endroit frais. Ôtez le linge, saupoudrez le gâteau d'un peu de sucre glace et servez.

Le gâteau au yaourt

Le gâteau au yaourt a sans aucun doute des avantages incomparables : il est inratable et très facile à réaliser ; il est aussi déclinable à volonté. Voici quelques exemples. À vous d'en inventer d'autres.

1 POT DE YAOURT NATURE

2 POTS DE SUCRE

3 POTS DE FARINE

1 POT D'HUILE

3 ŒUFS

1 SACHET DE LEVURE CHIMIQUE

15 G DE BEURRE POUR LE MOULE

Pour 4 à 6 personnes
Temps de préparation : 15 minutes
Temps de cuisson : 35 minutes

Préchauffez votre four à 180 °C (th 6/7).

Les pots de yaourt

Versez le yaourt dans une jatte, puis après avoir rincé le pot, utilisez-le comme verre doseur pour les autres ingrédients. Ajoutez au yaourt le sucre et les œufs ; mélangez la préparation jusqu'à l'obtention d'un mélange mousseux. Ajoutez-y la farine et la levure ; mélangez de nouveau puis ajoutez l'huile.

La cuisson

Beurrez un moule de 22 cm environ à bord haut, puis déposez-y la pâte. Faites cuire votre gâteau environ 35 minutes. Démoulez-le une fois tiédi.

Les déclinaisons simples

* remplacez le pot d'huile par le même poids en beurre.

* remplacez le pot d'huile par de la crème fraîche riche et épaisse (le gâteau sera plus blanc).

* substituez 1 pot d'amandes en poudre à 1 pot de farine.

Quelques variantes

Gâteau au citron

Dans la recette du gâteau au yaourt, remplacez 1 pot de farine par un pot d'amandes en poudre; en fin de recette ajoutez un zeste de citron. Préparez un glaçage au citron: mélangez le jus de 2 citrons avec 1/2 pot de sucre glace. Répartissez la préparation sur le gâteau en y ajoutant quelques zestes pour la décoration.

Gâteau façon baba au rhum

Procédez de la même façon que pour la recette de base, en remplaçant 1 pot de farine par 1 pot d'amandes en poudre. Pendant le temps de la cuisson, préparez un sirop au rhum. Pour cela, faites bouillir à feu doux pendant 10 minutes 35 cl de rhum, 35 cl d'eau et 35 g de sucre roux. Une fois le gâteau cuit, sortez-le du four puis arrosez-le avec le sirop en plusieurs fois afin que le baba soit complètement imbibé. Laissez-le refroidir. Démoulez le gâteau délicatement.

Gâteau retourné à l'ananas

Prenez 1 boîte d'ananas, coupez 3 tranches en petits dés. Faites-les cuire dans une casserole pendant une dizaine de minutes avec une gousse de vanille. Déposez quelques tranches d'ananas en rosace au fond. Faites caraméliser dans une casserole 20 g de beurre salé, 3 cuillères à soupe de sucre roux et 1 cuillère à soupe de jus d'ananas. Une fois le mélange légèrement caramélisé, versez-le sur les ananas au fond du moule. Préparez un gâteau au yaourt suivant la recette de base puis ajoutez 1 cuillère à soupe de rhum, le zeste d'un citron et les dés d'ananas cuits. Couvrez les ananas de pâte et mettez au four pendant 40 minutes environ à 180 °C (th 6/7).

Gâteau aux pommes

Dans la recette du gâteau au yaourt, remplacez le pot d'huile par un pot de crème fraîche; ajoutez à la fin 3 ou 4 belles pommes coupées en petits morceaux et le zeste d'un citron. Mettez au four pendant 40 minutes à 180 °C (th 6/7).

Gâteau aux noisettes et au miel

80 G DE BEURRE + 20 G POUR
LE MOULE

40 G DE FARINE

45 G DE NOISETTES HACHÉES
OU DE POUDRE DE NOISETTES

80 G DE SUCRE EN POUDRE

50 G DE MIEL

3 ŒUFS

1 PINCÉE DE SEL

* UN MOULE À MANQUÉ À BORD
HAUT D'ENVIRON 22 CM DE
DIAMÈTRE OU UN ASSORTIMENT
DE PETITS MOULES

Pour 4 à 6 personnes
Temps de préparation: 10 minutes
Temps de cuisson: 25 minutes

Préchauffez le four à 180 °C (th 6).

Les œufs

Cassez les œufs en séparant les blancs des jaunes.
Ajoutez la pincée de sel dans les blancs et, à l'aide
de votre fouet, montez-les en neige ferme.

La préparation

Mélangez dans un grand bol le sucre, la farine,
les jaunes d'œufs et les noisettes hachées. Faites
fondre le beurre et le miel dans une casserole à fond
épais, puis versez-le dans le grand bol tout en
continuant de mélanger. Ajoutez alors délicatement
les blancs en neige en vous aidant d'une spatule
pour bien les enrober de pâte et ne pas les casser.

La cuisson

Beurrez-le(s) moule(s) et versez-y la pâte. Mettez
au four pendant environ 25 minutes. Laissez refroidir
le gâteau avant de le démouler.

Gateau aux noix

170 G DE CERNEAUX DE NOIX
CONCASSÉS

4 ŒUFS

50 G DE FARINE

80 G DE BEURRE SALÉ
+ 20 G POUR LE MOULE

100 G DE CASSONADE EN POUDRE

1 PINCÉE DE SEL

* UN MOULE ROND À BORD HAUT
D'ENVIRON 22 CM DE DIAMÈTRE

Pour 4 à 6 personnes
Temps de préparation: 15 minutes
Temps de cuisson: 30 minutes

Préchauffez le four à 210 °C (th 7).

La pâte à gâteau

Cassez les œufs en séparant les blancs des jaunes. Mélangez les jaunes et la cassonade en vous aidant d'un fouet. Faites fondre le beurre à feu doux dans une petite casserole à fond épais, puis versez-le dans la préparation. Mélangez bien puis ajoutez peu à peu la farine et les cerneaux de noix.

Les blancs en neige

Versez la pincée de sel dans les blancs d'œufs et montez-les en neige au batteur. Ajoutez-les peu à peu à la préparation en les enrobant doucement avec une spatule pour éviter de les casser.

La cuisson

Beurrez votre moule puis farinez-le légèrement. Ôtez l'excédent de farine en tapotant le moule retourné. Mettez au four et laissez cuire environ 30 minutes.

Laissez refroidir le gâteau avant de le démouler.

Variante

Vous pouvez aussi confectionner un gâteau aux noisettes avec cette recette.

Gâteau vanille et marron

500 G DE PURÉE DE MARRONS
AU NATUREL

125 G DE SUCRE EN POUDRE

3 ŒUFS

100 G DE BEURRE SALÉ
+ 20 G POUR LE MOULE

1 PINCÉE DE SEL

2 CUILLÈRES À CAFÉ D'EXTRAIT
DE VANILLE

* UN MOULE À CHARLOTTE

Pour 4 à 6 personnes
Temps de préparation : 15 minutes
Temps de cuisson : 30 minutes

Préchauffez le four à 180 °C (th 6).

Les blancs en neige

Cassez les œufs en séparant les blancs des jaunes.
Ajoutez la pincée de sel dans les blancs et, à l'aide
de votre fouet électrique, montez-les en neige bien
ferme.

La préparation aux marrons

Faites fondre doucement le beurre dans une petite
casserole à fond épais. Mélangez dans un grand
bol la purée de marrons, les jaunes d'œufs, le sucre,
le beurre fondu et la vanille liquide. Ajoutez alors
délicatement les blancs en neige en vous aidant
d'une spatule pour bien les enrober de pâte
et ne pas les casser.

La cuisson

Beurrez le moule et garnissez-le de pâte. Lissez
la surface à la spatule. Mettez au four et laissez
cuire pendant 30 minutes environ. Laissez refroidir
le gâteau avant de le démouler.

Conseil

Servez ce gâteau très frais avec une crème anglaise
ou de la crème fraîche épaisse.

Gâteau marbré

200 G DE FARINE

100 G DE SUCRE EN POUDRE

100 G DE BEURRE SALÉ TEMPÉRÉ,
DÉCOUPÉ EN PETITS DÉS + 20 G
POUR LE MOULE

5 CL DE LAIT

2 ŒUFS

1/2 SACHET DE LEVURE CHIMIQUE

1 CUILLÈRE À SOUPE DE CACAO
EN POUDRE

1/2 SACHET DE SUCRE VANILLÉ

1 PINCÉE DE SEL

* UN MOULE À CAKE

Pour 4 à 6 personnes
Temps de préparation : 15 minutes
Temps de cuisson : 30 minutes

Préchauffez le four à 210 °C (th 7).

La base

Fouettez le beurre et le sucre jusqu'à ce que le mélange blanchisse légèrement et devienne mousseux. Vous pouvez pour cela vous aider du fouet électrique. Cassez les œufs en séparant les blancs des jaunes. Incorporez les jaunes au mélange beurre-sucre puis ajoutez peu à peu le lait tout en continuant de remuer. Mélangez la farine et la levure dans un grand bol puis incorporez-les peu à peu dans la pâte. Répartissez la pâte dans deux bols. Versez le sucre vanillé dans le premier et incorporez le cacao en poudre dans le second.

Les blancs en neige

Ajoutez la pincée de sel dans les blancs d'œufs et, à l'aide de votre fouet électrique, montez-les en neige très ferme. Ajoutez alors délicatement la moitié des blancs en neige dans la préparation parfumée à la vanille en vous aidant d'une spatule pour bien les enrober de pâte et ne pas les casser. Faites de même avec le reste dans la pâte chocolatée.

La cuisson

Beurrez le moule et farinez-le légèrement. Versez une couche de pâte à la vanille puis couvrez de pâte parfumée au chocolat et alternez ainsi avec le reste de pâte. Mettez au four pendant 10 minutes, puis baissez le four à 180 °C (th 6) et laissez cuire encore 20 minutes. Démoulez le gâteau et laissez-le refroidir sur une grille à pâtisserie.

Gâteau tout simple
au chocolat amer

200 G DE CHOCOLAT NOIR

150 G DE SUCRE

50 G DE FARINE

150 G DE BEURRE SALÉ TEMPÉRÉ,
DÉCOUPÉ EN PETITS DÉS
+ 20 G POUR LE MOULE

4 ŒUFS

1 PINCÉE DE SEL

* UN MOULE À TARTE OU UN MOULE
CARRÉ

Pour 4 à 6 personnes
Temps de préparation: 20 minutes
Temps de cuisson: 30 minutes

Préchauffez le four à 180 °C (th 6).
Beurrez soigneusement le moule.

Le chocolat

Versez de l'eau à mi-hauteur d'une grande casserole
et portez au frémissement. Brisez le chocolat en
morceaux et mettez-le à fondre au bain-marie dans un
bol posé dans la casserole.

Les blancs en neige

Cassez les œufs et séparez les blancs des jaunes.
Battez fermement les blancs en neige avec une pincée
de sel.

La préparation

Mélangez grossièrement le beurre et le sucre;
ajoutez-y le chocolat fondu tout en continuant
de mélanger, puis incorporez un à un les jaunes
d'œufs sans cesser de remuer. Ajoutez la farine
puis enfin les blancs d'œufs en trois fois; lissez
bien le mélange.

La cuisson

Remplissez le moule de pâte, baissez la température
du four à 150 °C (th 5) et enfournez le gâteau.
Laissez-le cuire pendant environ 30 minutes.
Démoulez le gâteau une fois tiédi: il serait en effet
plus difficile de le démouler par la suite.

Variante

Vous pouvez ajouter des amandes effilées ou des petits
morceaux d'orange confite pour changer.

Quatre-quarts

Ce gâteau peut être décliné à l'infini suivant vos envies et votre placard!

3 ŒUFS MOYENS D'ENVIRON 60 G
+ 1 JAUNE D'ŒUF

LE POIDS DES ŒUFS EN FARINE

LE POIDS DES ŒUFS EN SUCRE

LE POIDS DES ŒUFS EN BEURRE
SALÉ TEMPÉRÉ, DÉCOUPÉ EN PETITS
DÉS + 1 NOIX DE BEURRE

1/2 SACHET DE LEVURE CHIMIQUE

* UN MOULE À MANQUÉ À BORD
HAUT, DE 22 CM DE DIAMÈTRE

Pour 4 personnes
Temps de préparation: 15 minutes
Temps de cuisson: 35 à 40 minutes

Préchauffez le four à 150 °C (th 5).
Beurrez soigneusement le moule.

La préparation

Déposez le beurre dans une grande jatte et travaillez-le
en vous aidant d'une spatule, puis versez le sucre
et fouettez jusqu'à ce que le mélange blanchisse
légèrement et devienne crémeux. Ajoutez les œufs
et mélangez bien. Mêlez rapidement la farine et la
levure dans un grand bol et versez-les dans la jatte.
Votre pâte doit être parfaitement homogène.

La cuisson

Versez-la dans le moule à manqué et mettez au four.
Laissez cuire le quatre-quarts environ 40 minutes.
Vous vérifierez la cuisson en piquant l'intérieur
de la pâte avec la pointe d'un couteau: elle doit
ressortir sèche. Laissez tiédir le gâteau avant
de le démouler.

Quatre-quarts aux pommes

2 BELLES POMMES

3 ŒUFS MOYENS D'ENVIRON 60 G
+ 1 JAUNE D'ŒUF

LE POIDS DES ŒUFS EN FARINE

LE POIDS DES ŒUFS EN SUCRE

LE POIDS DES ŒUFS EN BEURRE
SALÉ TEMPÉRÉ, DÉCOUPÉ EN PETITS
DÉS + 1 NOIX DE BEURRE

1/2 SACHET DE LEVURE CHIMIQUE

LE JUS D'UN CITRON

* UN MOULE À MANQUÉ À BORD
HAUT, DE 22 CM DE DIAMÈTRE

Pour 4 personnes
Temps de préparation: 15 minutes
Temps de cuisson: 35 à 40 minutes

Préchauffez le four à 150 °C (th 5).
Beurrez soigneusement le moule.

Les pommes

Épluchez les pommes, coupez-les en quartiers et ôtez le cœur et les pépins. Découpez les quartiers en petits dés et arrosez-les de jus de citron.

La préparation

Déposez le beurre dans une grande jatte et travaillez-le en vous aidant d'une spatule, puis versez le sucre et fouettez jusqu'à ce que le mélange blanchisse légèrement et devienne crémeux. Ajoutez les œufs et mélangez bien. Tamisez et mélangez rapidement la farine et la levure dans un grand bol et versez-les dans la jatte. Votre pâte doit être parfaitement homogène. Ajoutez les dés de pommes et mélangez.

La cuisson

Versez la pâte dans le moule à manqué et mettez au four. Laissez cuire le quatre-quarts environ 40 minutes Vous vérifierez la cuisson en piquant l'intérieur de la pâte avec la pointe d'un couteau: elle doit ressortir sèche. Laissez tiédir le quatre-quarts avant de le démouler.

Far breton aux pruneaux

75 CL DE LAIT ENTIER

4 ŒUFS

180 G DE PRUNEAUX DÉNOYAUTÉS

100 G DE SUCRE EN POUDRE

4 CUILLÈRES À SOUPE DE FARINE

50 G DE BEURRE SALÉ
+ 20 G POUR LE MOULE

1 CUILLÈRE À SOUPE DE RHUM

1 GOUSSE DE VANILLE

* UN PLAT À GRATIN

Pour 4 à 6 personnes
Temps de préparation : 15 minutes
Temps de cuisson : 30 minutes

Préchauffez le four à 210 °C (th 7).

Le lait
Versez le lait dans une casserole à fond épais.
Fendez la gousse de vanille dans la longueur et
déposez-la dans le lait. Portez le lait au frémissement
et ôtez aussitôt la casserole du feu. Grattez l'intérieur
de la gousse de vanille avec la pointe d'un couteau
et versez les grains dans la casserole. Remettez
la gousse de vanille. Laissez infuser et refroidir
à température ambiante.

Dans le moule
Beurrez un plat allant au four. Déposez les pruneaux
dénoyautés.

La préparation
Mélangez la farine et le sucre dans un grand bol.
Ôtez la gousse de vanille du lait, cassez les œufs
et ajoutez-les au lait. Fouettez le tout puis incorporez
ce mélange dans le bol farine-sucre. Faites fondre
le beurre dans une petite casserole et ajoutez-le
au mélange avec le rhum.

La cuisson
Versez la pâte dans le plat et mettez au four pendant
30 minutes environ. Le far va peu à peu prendre une
jolie couleur dorée. Servez tiède ou bien froid.

Les pruneaux
Si vous souhaitez donner encore plus de moelleux
et de saveur à vos pruneaux, mettez-les à tremper
20 minutes dans un peu d'eau tiède et de rhum.

Brioche pur beurre

250 G DE FARINE

125 G DE BEURRE SALÉ TEMPÉRÉ,
DÉCOUPÉ EN PETITS DÉS
+ 20 G POUR LE MOULE

2 ŒUFS MOYENS + 1 JAUNE

5 CL DE LAIT TIÈDE

2 CUILLÈRES À SOUPE DE SUCRE
SEMOULE EN POUDRE

1 SACHET DE LEVURE DE
BOULANGER SÈCHE

* UN MOULE À BRIOCHE
OU UN MOULE À CAKE

Pour 4 à 6 personnes
Temps de préparation: 20 minutes
Temps de cuisson: 40 minutes

La pâte à brioche

Délayez la levure dans le lait tiède. Versez la farine, les œufs, le sucre et la levure mouillée de lait dans le bol de votre robot. Pétrissez à vitesse moyenne puis ajoutez les dés de beurre. Pétrissez encore jusqu'à ce que le mélange soit parfaitement lisse.

Laissez lever

Formez une boule de votre pâte et déposez-la dans un endroit tiède (près d'un radiateur par exemple) en la couvrant d'un torchon. Laissez-la doubler de volume (ce qui prendra au moins une heure) puis travaillez-la avec les mains quelques minutes. Beurrez le moule et déposez-y la pâte. Couvrez de nouveau d'un torchon et laissez reposer encore une heure dans un endroit tiède.

La cuisson

Préchauffez le four à 180/190 °C (th 6/7). Enfournez la brioche et laissez cuire environ 40 minutes. Dix minutes avant la fin de la cuisson, baissez légèrement la température de votre four pour éviter que la brioche ne brûle sur le dessus. Laissez tiédir avant de démouler.

Cheesecake

600 G DE FROMAGE BLANC FRAIS

20 CL DE CRÈME FRAÎCHE ÉPAISSE

180 G DE SUCRE EN POUDRE

3 ŒUFS

200 G DE BISCUITS AU GINGEMBRE

60 G DE BEURRE TEMPÉRÉ, DÉCOUPÉ
EN PETITS DÉS

1 CUILLÈRE À SOUPE DE SIROP
D'ÉRABLE

1 CUILLÈRE À CAFÉ D'EXTRAIT
DE VANILLE

1 CUILLÈRE À CAFÉ DE CANNELLE

1 PINCÉE DE SEL

* UN MOULE À BORD HAUT
D'ENVIRON 22 CM DE DIAMÈTRE

Pour 6 personnes
Temps de préparation: 10 minutes
Temps de cuisson: 35 minutes

Préchauffez le four à 150 °C (th 5).

Le support
Écrasez les biscuits et mélangez-les avec le beurre.
Tapissez-en le fond du moule et lissez bien le dessus.

La crème
Fouettez rapidement le fromage frais et la crème
fraîche puis ajoutez le sel, le sucre, les œufs un à un,
le sirop d'érable, la vanille et la cannelle.

La cuisson
Versez ce mélange dans le moule et mettez au four
environ 35 minutes. Passez la lame d'un couteau
pour décoller les bords à la sortie du four, laissez tiédir
puis mettez au frais pendant au moins 2 heures.
Vous pouvez aussi préparer le cheesecake la veille.

Conseil
Si vous ne trouvez pas de biscuits au gingembre,
vous pouvez les remplacer par des spéculos, les fameux
petits gâteaux du Nord. Dans ce cas, les spéculos
étant assez forts en goût, supprimez la cannelle.

Charlotte aux fruits rouges

300 G DE FRAISES
ET DE FRAMBOISES

QUELQUES CASSIS
POUR LA DÉCORATION

15 CL DE JUS D'ORANGE

30 BISCUITS À LA CUILLÈRE

400 G DE FROMAGE FRAIS

80 G DE SUCRE EN POUDRE

2 SACHETS DE SUCRE VANILLÉ

* UN MOULE À CHARLOTTE
À COUVERCLE AMOVIBLE OU UN
MOULE EN PLASTIQUE À COUVERCLE

Pour 4 à 6 personnes
Temps de préparation : 15 minutes
Pas de cuisson
À préparer la veille

Avec les biscuits

Trempez rapidement les biscuits à la cuillère dans le jus d'orange. Tapissez-en le fond et les parois du moule.

La crème

Fouettez dans un bol le fromage frais, le sucre et le sucre vanillé.

Les fruits

Lavez rapidement les fraises et les framboises à l'eau fraîche et égouttez-les.

Le montage

Déposez la moitié des fruits rouges dans le moule puis couvrez de la moitié du fromage frais sucré. Ajoutez par-dessus une couche de biscuits imbibés de jus d'orange puis le reste de fruits rouges et le reste de fromage blanc. Terminez par une couche de biscuits.

Au frais

Couvrez le moule et mettez au réfrigérateur toute une nuit. Servez très frais.

Kouglof

Le secret d'un bon kouglof ? Les ingrédients doivent tous être à température ambiante. L'idéal est bien sûr d'avoir aussi un vrai moule à kouglof; mais rassurez-vous, vous pouvez en confectionner d'excellents dans un simple moule à brioche.

300 G DE FARINE

100 G DE BEURRE SALÉ TEMPÉRÉ, DÉCOUPÉ EN PETITS DÉS + 20 G POUR LE MOULE

60 G DE SUCRE SEMOULE

15 CL DE LAIT ENTIER

1 ŒUF

60 G DE RAISINS SECS

1 CUILLÈRE À SOUPE DE KIRSCH

1 SACHET DE LEVURE DE BOULANGER SÈCHE

1/2 CUILLÈRE À CAFÉ DE SEL

10 CL D'EAU

* 1 MOULE À KOUGLOF OU UN MOULE À BRIOCHE

Pour 4 à 6 personnes
Temps de préparation: 15 minutes
Temps de cuisson: 50 minutes

La pâte

Mettez les raisins dans un bol, puis versez le kirsch et 1 cuillère à soupe d'eau. Délayez la levure dans 2 cuillères à soupe d'eau tiède et laissez-la gonfler une dizaine de minutes. Mettez la farine, le sucre, le sel, le lait, la levure et l'œuf dans le bol de votre robot et pétrissez rapidement avec la lame. Ajoutez les dés de beurre jusqu'à ce que le mélange se transforme en une pâte bien lisse et élastique. Ajoutez les raisins et pétrissez quelques instants.

Faire lever la pâte

Beurrez soigneusement le moule et remplissez-le de pâte. Couvrez d'un torchon et laissez la pâte gonfler doucement pendant environ 3 heures à température ambiante.

Cuisson

Préchauffez le four à 210 °C (th 7). Enfournez, baissez aussitôt à 180 °C (th 6) et laissez cuire environ 50 minutes. Démoulez et savourez le kouglof froid avec un café ou un chocolat chaud.

Conseil

Vous pouvez parsemer 50 g d'amandes entières sur les parois beurrées du moule avant de verser la pâte. Il n'en sera que plus joli.

Pain d'épice maison

300 G DE MIEL DE SAPIN
OU DE CHÂTAIGNIER

250 G DE FARINE COMPLÈTE

50 G DE POUDRE D'AMANDES

10 CL DE LAIT

1 ŒUF

20 G DE BEURRE POUR LE MOULE

1 SACHET DE LEVURE CHIMIQUE

1 CUILLÈRE À SOUPE D'ÉPICES
À PAIN D'ÉPICE EN POUDRE

40 G D'ÉCORCE D'ORANGE CONFITE
EN PETITS DÉS

* UN MOULE À CAKE

Pour 6 personnes
Temps de préparation : 15 minutes
Temps de cuisson : 50 minutes

Préchauffez le four à 170 °C (th 5/6).

La pâte
Faites doucement chauffer le lait et le miel puis ôtez du feu dès le premier bouillon. Mélangez la farine et la levure dans un bol. Puis ajoutez la poudre d'amandes, les épices à pain d'épice et les dés d'écorce d'orange confite. Mélangez bien et creusez un puits. Versez peu à peu le mélange de lait et de miel sans cesser de remuer avec une cuillère. Terminez en incorporant l'œuf.

La cuisson
Beurrez le moule, versez la pâte et mettez au four pendant environ 50 minutes. Si vous ne disposez pas d'épices à pain d'épice, préparez vous-même votre mélange avec de la cannelle, du clou de girofle, du gingembre et de l'anis en poudre.

Cake au citron et aux amandes

120 G DE FARINE DE MAÏS

200 G D'AMANDES EN POUDRE

200 G DE SUCRE EN POUDRE

200 G DE BEURRE SALÉ TEMPÉRÉ, DÉCOUPÉ EN PETITS DÉS + 20 G POUR LE MOULE

3 ŒUFS

LE JUS ET LE ZESTE D'UN CITRON NON TRAITÉ

1/2 SACHET DE LEVURE

1 PINCÉE DE SEL

* UN MOULE À CAKE

Pour 4 à 6 personnes
Temps de préparation : 20 minutes
Temps de cuisson : 40 minutes

Préchauffez le four à 180 °C (th 6).

La pâte à cake

Dans un grand bol, travaillez le beurre et le sucre. Dès que votre mélange devient clair, ajoutez les amandes en poudre puis les œufs un à un et mélangez. Ajoutez alors le jus de citron et le zeste. Dans un autre bol, mélangez la farine et la levure. Ajoutez la pincée de sel puis versez ce mélange dans le bol de beurre, de sucre et de citron. Mélangez bien.

La cuisson

Beurrez soigneusement le moule, farinez-le et versez la pâte. Déposez le cake sur une plaque et mettez au four. Laissez cuire pendant environ 40 minutes.

Servez ce cake très frais.

Cake à la banane et au rhum

2 BANANES BIEN MÛRES

LE JUS D'UN CITRON

250 G DE FARINE

100 G DE CHOCOLAT À 70 %

120 G DE SUCRE EN POUDRE

120 G DE BEURRE SALÉ TEMPÉRÉ,
DÉCOUPÉ EN PETITS DÉS
+ 20 G POUR LE MOULE

2 ŒUFS

1 SACHET DE LEVURE

2 CL DE RHUM

1 CUILLÈRE À CAFÉ D'EXTRAIT
DE VANILLE

1 PINCÉE DE SEL

* UN MOULE À CAKE

Pour 4 à 6 personnes
Temps de préparation : 20 minutes
Temps de cuisson : 40 minutes

Préchauffez le four à 180 °C (th 6).

Purée de bananes

Épluchez les bananes et écrasez-les soigneusement
à la fourchette. Versez le jus de citron et le rhum
sur cette purée.

La pâte à cake en 2 temps

• Dans un grand bol, travaillez le beurre et le sucre.
Dès que votre mélange devient clair, ajoutez les œufs
un à un et remuez. Râpez le chocolat en vous aidant
d'un économe.

• Dans un autre bol, mélangez la farine et la levure.
Ajoutez la pincée de sel puis versez ce mélange dans
le bol de beurre et de sucre. Mélangez bien puis ajoutez
la purée de banane, la vanille et le chocolat râpé.

La cuisson

Beurrez soigneusement le moule, farinez-le et versez
la pâte. Déposez le cake sur une plaque et mettez-le
au four. Laissez cuire pendant environ 40 minutes.
Renforcez le goût du rhum en arrosant le cake
de 3 à 4 cuillères à soupe de rhum à la sortie du four.

Cake à la noix de coco et au chocolat

250 G DE FARINE

100 G DE CHOCOLAT NOIR

30 G DE CHOCOLAT EN POUDRE

80 G + 2 CUILLÈRES À SOUPE DE NOIX DE COCO RÂPÉE

15 CL D'HUILE

3 ŒUFS

100 G DE CASSONADE EN POUDRE

4 CUILLÈRES À SOUPE DE LAIT

1/2 CUILLÈRE À CAFÉ D'EXTRAIT DE VANILLE

1/2 SACHET DE LEVURE CHIMIQUE

2 PINCÉES DE SEL

20 G DE BEURRE POUR LE MOULE

* UN MOULE À CAKE

Pour 4 à 6 personnes
Temps de préparation : 15 minutes
Temps de cuisson : 45 minutes

Préchauffez le four à 180 °C (th 6).

La pâte à cake

Râpez le chocolat noir. Mélangez dans un grand bol la farine et la levure. Ajoutez une pincée de sel. Cassez les œufs en séparant les blancs des jaunes. Réservez-les dans deux bols. Mélangez la cassonade et les jaunes d'œufs en vous aidant d'un fouet. Versez l'huile puis la farine tout en continuant de mélanger le tout, ajoutez ensuite la vanille, le lait, les 80 g de noix de coco râpée, le chocolat en poudre et le chocolat râpé.

Les blancs en neige

Ajoutez l'autre pincée de sel dans les blancs et montez-les en neige en vous aidant de votre fouet. Incorporez-les en douceur dans le mélange sans casser les blancs. Aidez-vous pour cela d'une spatule.

La cuisson

Beurrez votre moule à cake et versez votre préparation. Parsemez le dessus avec les 2 cuillères de noix de coco râpée. Mettez au four. Baissez le four à 150 °C (th 5) après 10 minutes et laissez cuire encore 35 minutes environ. Vérifiez la cuisson en piquant l'intérieur avec la lame d'un couteau. Celle-ci doit ressortir sèche. Démoulez le cake et laissez-le refroidir sur une grille à pâtisserie.

Galette Saint-Pierre

C'est meilleur avec les mains ! Inutile de sortir votre robot pour réaliser cette recette. Pas besoin de cuillère en bois non plus. (Re)découvrez le plaisir de pétrir avec vos mains.

250 G DE FARINE

150 G DE SUCRE EN POUDRE

180 G DE BEURRE SALÉ TEMPÉRÉ, DÉCOUPÉ EN PETITS DÉS + 10 G POUR LE MOULE

5 JAUNES D'ŒUFS + 1 JAUNE

1/2 SACHET DE LEVURE CHIMIQUE

UNE PINCÉE DE SEL (SI VOUS UTILISEZ DU BEURRE DOUX)

* UN MOULE À TARTE OU UN ASSORTIMENT DE PETITS MOULES

Pour 6 personnes
Temps de préparation : 15 minutes
Temps de cuisson : 25 minutes

Préchauffez le four à 180 °C (th 6).

La pâte

Mélangez la farine et la levure chimique puis disposez-les en fontaine sur un plan de travail ou dans une jatte. Placez au centre les jaunes d'œufs, le sucre et le sel. Remuez bien du bout des doigts jusqu'à ce que le mélange prenne une consistance sableuse. Ajoutez alors les dés de beurre à la pâte et mélangez de nouveau.

La cuisson

Beurrez légèrement le moule et garnissez-le de pâte. À l'aide d'un pinceau, badigeonnez le dessus de la pâte d'un peu de jaune d'œuf battu. Dessinez des croisillons avec les dents d'une fourchette. Mettez le gâteau au four pendant 25 minutes environ. Démoulez-le encore tiède et laissez-le refroidir sur une grille à pâtisserie.

Le broyé du poitou

450 G DE FARINE

250 G DE BEURRE SALÉ TEMPÉRÉ, DÉCOUPÉ EN PETITS DÉS + 20 G POUR LE MOULE

250 G DE SUCRE EN POUDRE

100 G D'AMANDES

2 ŒUFS ENTIERS + 1 JAUNE

3 CUILLÈRES À SOUPE DE LAIT ENTIER

2 CUILLÈRES À SOUPE D'EAU-DE-VIE

1 PINCÉE DE SEL

* UN MOULE À TARTE OU UNE PLAQUE DE FOUR

Pour 4 à 6 personnes
Temps de préparation: 10 minutes
Temps de cuisson: 40 minutes

Préchauffez le four à 180 °C (th 6).

La pâte

Mélangez dans un grand bol les deux œufs avec le sucre, l'eau-de-vie et le sel. Ajoutez le beurre tempéré et mélangez bien le tout. Versez la farine en pluie sans cesser de remuer. Ajoutez les amandes. Ne travaillez pas la pâte trop longtemps et seulement du bout des doigts.

La cuisson

Beurrez le moule et déposez la pâte en lissant le dessus avec une spatule. Dessinez des croisillons avec les dents d'une fourchette. Mélangez le lait et le jaune d'œuf dans un bol et badigeonnez-en le gâteau. Mettez au four pendant environ 35-40 minutes. Laissez refroidir avant de démouler.

Clafoutis aux cerises

600 G DE CERISES

40 G DE BEURRE SALÉ
+ 20 G POUR LE MOULE

4 ŒUFS

20 CL DE LAIT

100 G DE FARINE

60 G DE SUCRE EN POUDRE

1 SACHET DE SUCRE VANILLÉ

1 PINCÉE DE SEL

SUCRE GLACE

* UN PLAT À GRATIN

Pour 4 à 6 personnes
Temps de préparation : 10 minutes
Temps de cuisson : 30 minutes

Préchauffez le four à 210 °C (th 7).

Les cerises

Lavez rapidement les cerises sous un filet d'eau fraîche, équeutez-les et égouttez-les.

La pâte

Faites fondre le beurre dans une petite casserole à fond épais. Mélangez dans un grand bol la farine, le sucre, le sel et le sucre vanillé. Cassez les œufs et incorporez-les peu à peu, puis versez le lait petit à petit tout en continuant de mélanger. Ajoutez le beurre fondu.

La cuisson

Beurrez bien le plat, rangez les cerises puis versez la pâte à clafoutis. Mettez au four pendant 10 minutes, puis baissez la température à 180 °C (th 6) et laissez cuire encore 20 minutes. Servez ce clafoutis aux cerises tiède ou froid, simplement saupoudré d'un peu de sucre glace.

Meringues

2 ŒUFS

2 SACHETS DE SUCRE VANILLÉ

60 G DE SUCRE EN POUDRE

70 G DE SUCRE GLACE

1 PETITE PINCÉE DE SEL

* UNE PLAQUE DU FOUR TAPISSÉE DE PAPIER SULFURISÉ

Pour 4 personnes
Temps de préparation : 15 minutes
Temps de cuisson : 55 minutes

Préchauffez le four à 150 °C (th 3).

Les blancs d'œufs

Cassez les œufs et séparez les blancs des jaunes. Ajoutez le sel dans les blancs et montez-les en neige en vous aidant du fouet de votre batteur, puis versez peu à peu le sucre vanillé tout en continuant de fouetter. Versez ensuite peu à peu le sucre en poudre et le sucre glace sans jamais cesser de fouetter.

La mise en forme

En vous aidant de deux cuillères à café, formez de petites boules de taille identique et surmontées d'une pointe.

La cuisson lente

Déposez les meringues sur la plaque en prenant soin de laisser un espace de 2 ou 3 cm entre elles. Installez la plaque dans le four et baissez aussitôt la température à 30 °C (th 1). Laissez cuire doucement pendant 55 minutes, puis entrouvrez légèrement la porte du four quelques minutes. Refermez la porte et éteignez. Laissez les meringues encore une heure à l'intérieur du four. Elles vont ainsi devenir croustillantes.

Conseil conservation

Vous pourrez les conserver plusieurs jours, rangées dans une boîte à biscuits.

Les cannelés

1 L DE LAIT ENTIER

1 ŒUF ENTIER + 4 JAUNES

500 G DE SUCRE EN POUDRE

250 G DE FARINE

3 BOUCHONS DE RHUM

5 GOUTTES D'EXTRAIT DE VANILLE

20 G DE BEURRE POUR LES MOULES

* 24 MOULES À CANNELÉS

Pour 24 pièces
Temps de préparation : 15 minutes
Temps de cuisson : 1h15
À préparer la veille

La pâte

Mélangez dans un grand bol l'œuf entier, les jaunes, le lait, le sucre, le rhum et la vanille. Dans une jatte, creusez un puits dans la farine et ajoutez ce mélange, remuez bien le tout, couvrez d'un film alimentaire et laissez reposer 24 heures.

La cuisson

Beurrez soigneusement les moules et remplissez-les aux trois quarts. Mettez au four 1h15 à 150 °C (th 5). Démoulez aussitôt les cannelés et dégustez-les tièdes ou froids.

Les petites madeleines

5 ŒUFS

150 G DE BEURRE SALÉ
+ 20 G POUR LES MOULES

200 G DE FARINE

200 G DE SUCRE EN POUDRE

8 GOUTTES D'EAU DE FLEURS
D'ORANGER

SEL

* UN MOULE À MADELEINES

Pour 4 à 6 personnes
Temps de préparation : 15 minutes
Temps de cuisson : 10 minutes

Préchauffez le four à 180 °C (th 6).

La pâte
Cassez les œufs et séparez les blancs des jaunes.
Ajoutez une petite pincée de sel dans les blancs
et, à l'aide de votre fouet, montez-les en neige. Faites
fondre doucement le beurre dans une petite casserole
à fond épais. Fouettez les jaunes avec le sucre puis
ajoutez le beurre fondu et l'eau de fleurs d'oranger.
Incorporez peu à peu les blancs en neige et la farine.

La cuisson
Beurrez le moule à madeleines. Remplissez chaque
alvéole en vous aidant d'une cuillère. Enfournez et
laissez cuire une dizaine de minutes. Sortez-les du four
et démoulez-les. Les madeleines peuvent se savourer
tièdes mais se conserveront très bien quelques jours
dans une boîte métallique, à l'abri de l'humidité.

Madeleines au chocolat
Pour une variante gourmande, remplacez 100 g
de farine par 150 g de bon chocolat noir. Supprimez
alors l'eau de fleurs d'oranger.

Madeleines au miel
Si vous possédez un bon miel d'apiculteur, ne manquez
pas d'essayer cette recette. Remplacez simplement
150 g de sucre par 150 g de miel. Si votre miel
est solidifié, laissez-le fondre avec le beurre quelques
minutes. Supprimez l'eau de fleurs d'oranger.

Tuiles aux amandes

2 BLANCS D'ŒUFS

50 G DE SUCRE GLACE

30 G DE BEURRE SALÉ FONDU

30 G DE FARINE

60 G D'AMANDES HACHÉES OU EFFILÉES

20 G DE BEURRE POUR LA PLAQUE

* UNE PLAQUE DE FOUR À PÂTISSERIE (ET ÉVENTUELLEMENT UN MOULE À TUILES SI VOUS EN POSSÉDEZ UN).

Pour 6 personnes
Temps de préparation: 20 minutes
Temps de cuisson: 8 minutes

Préchauffez le four à 210 °C (th 7).

La pâte à biscuit

Fouettez les blancs d'œufs et le sucre glace jusqu'à obtenir un mélange légèrement mousseux. Incorporez ensuite la farine puis le beurre fondu tout en mélangeant avec une spatule.

La cuisson

Beurrez la plaque et farinez-la légèrement puis déposez des petits tas de pâte, espacés d'environ 3 cm. Lissez les tas avec la lame d'un couteau et parsemez le dessus d'amandes. Mettez au four 8 minutes environ.

La mise en forme

Roulez les tuiles à chaud, dès la sortie du four, en les posant sur un rouleau à pâtisserie ou sur un moule à tuiles.

Petits biscuits de Noël

400 G DE FARINE

250 G DE BEURRE TEMPÉRÉ,
DÉCOUPÉ EN PETITS DÉS
+ 20 G POUR LA PLAQUE

200 G DE SUCRE EN POUDRE

2 ŒUFS ENTIERS + 3 JAUNES

150 G D'AMANDES EN POUDRE

2 CUILLÈRES À CAFÉ DE CANNELLE
EN POUDRE

2 SACHETS DE SUCRE VANILLÉ

* DES EMPORTE-PIÈCE

* UNE PLAQUE DE FOUR

Pour environ 1 kg de biscuits
Temps de préparation: 20 minutes
Temps de cuisson: 10 à 12 minutes
par fournée.
À préparer la veille

La pâte à biscuits

Mélangez et travaillez le beurre et le sucre jusqu'à
ce que le mélange blanchisse légèrement. Ajoutez
ensuite la farine et les amandes puis les deux œufs
entiers sans cesser de mélanger. Versez ensuite
le sucre vanillé et la cannelle en poudre et remuez.

Laissez reposer

Formez une boule de pâte, enveloppez-la dans un film
alimentaire et mettez-la au frais pendant au moins
3 heures L'idéal est de préparer la pâte la veille
et de la laisser reposer toute une nuit. Préchauffez
le four à 180 °C (th 6).

La mise en forme

Sortez la pâte du réfrigérateur au moment
de la travailler. Étalez-la jusqu'à obtenir une épaisseur
d'environ 4 mm et découpez les biscuits avec
les emporte-pièce.

La cuisson

Beurrez la plaque et déposez les biscuits.
Passez rapidement un peu de jaune d'œuf battu
sur le dessus et mettez au four 10 à 12 minutes.
Surveillez bien la cuisson. Les biscuits doivent
être d'un joli blond doré.

LES RECETTES DE CET OUVRAGE SONT EXTRAITES DE "GÂTEAUX DE MAMIE"
PARU CHEZ MARABOUT EN 2002

MISE EN PAGE: EMIGREEN.COM

© MARABOUT 2006 POUR LA PRÉSENTE ÉDITION

DÉPÔT LÉGAL: MARS 2009

ISBN: 978-2-501-05044-9

CODIFICATION : 4099784

ÉDITION 04

IMPRIMÉ EN ESPAGNE PAR GRAFICAS ESTELLA